我的第一本专注力训练书

DISNEY 迪士尼

童趣出版有限公司编译　人民邮电出版社出版
北　京

小卡尔带着新朋友艾丽来到了自己的秘密小屋——一间废弃的老房子里。卡尔和艾丽要把自己装扮成和查尔斯蒙兹一样的探险家。在小屋里找一找，看看这些能够帮助卡尔和艾丽装扮成探险家的物品都放在了哪里。

小卡尔的气球

蒙兹的照片

葡萄苏打别针

印有蒙兹飞船的照片

放大镜

飞行员眼镜

欢迎来到神奇的仙子世界！小叮当是一位初来乍到的新仙子，仙子谷的仙子们都对她好奇极了！克丽安女王将会向小叮当介绍每一位仙子。请你在人群中，找出马上要和小叮当见面的这些仙子吧！

露丝塔　　水蜜斯

薇蒂亚

芳玟　　伊瑞德莎

波波　　　胖子

这里简直是一团糟！森林里的动物们把白雪公主带到了隐藏在丛林中的小木屋中。它的主人是七个小矮人。白雪公主最好马上动手开始打扫。找一找下面这些需要收起来的七个小矮人的物品。

ROCKS

爱生气的岩石

害羞鬼的
玩具刺猬

喷嚏精的鲜花

瞌睡虫的毯子

万事通的墨水瓶

迷糊鬼的闹钟

开心果的箱子

欢迎来到水箱温泉镇！这个小小的城镇发生着许许多多的事情。在周围找一找，你能否找出这些居住在这里的车辆。

韩大夫

莉齐

奇诺

雷蒙

芙蓉

板牙

感谢你能够在水箱温泉镇驻足。找一找这些能够帮助你记住这次游览的明信片。

芙蓉的咖啡馆

韩大夫的诊所

板牙的废品旧货场

莉丝的古董商店

卡布和奇诺的轮胎商店

法院大楼

佩妮和小狗波特重逢之后，他们搬到了乡下居住。他们向剧组请了假，在一起玩得非常愉快。找一找这些属于闪电狗和咪咪的玩具。

狗骨头

玩具老鼠

毛线球

拔河玩具

小球

飞盘

仙女教母施展她们的魔法来为爱洛制作生日蛋糕。看看她们在用魔法制作蛋糕之后留下的一片狼藉吧！希望这些美味吃起来比看起来要棒得多。

就要融化的冰激凌圣代

有蓝色霉菌花纹的芝士蛋糕

苹果卷饼

脆皮的蛋奶酥

四个可爱的小饼

欢迎来到水箱温泉镇的法院大楼。这里有着悠久的历史，但是多数都和镇子的建立者——是史坦利有关。在大图中找一找，你能否找到他的这些照片？

大多数人都盼望着过生日，茉莉却相反。依照法律，茉莉在明年生日以前，必须和一位王子结婚。但是，她不想这样。现在，她还没有准备好，也没有想要嫁给任何人！你一定看见了下面这些聚集在皇家花园的人，他们没有一个是茉莉喜欢的类型！

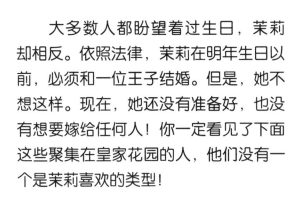

惹人讨厌的
阿玛王子

哈瓦拉马王子

千年魔咒王子

爱运动的
吉姆王子

超寇罗特王子

玩闹王子

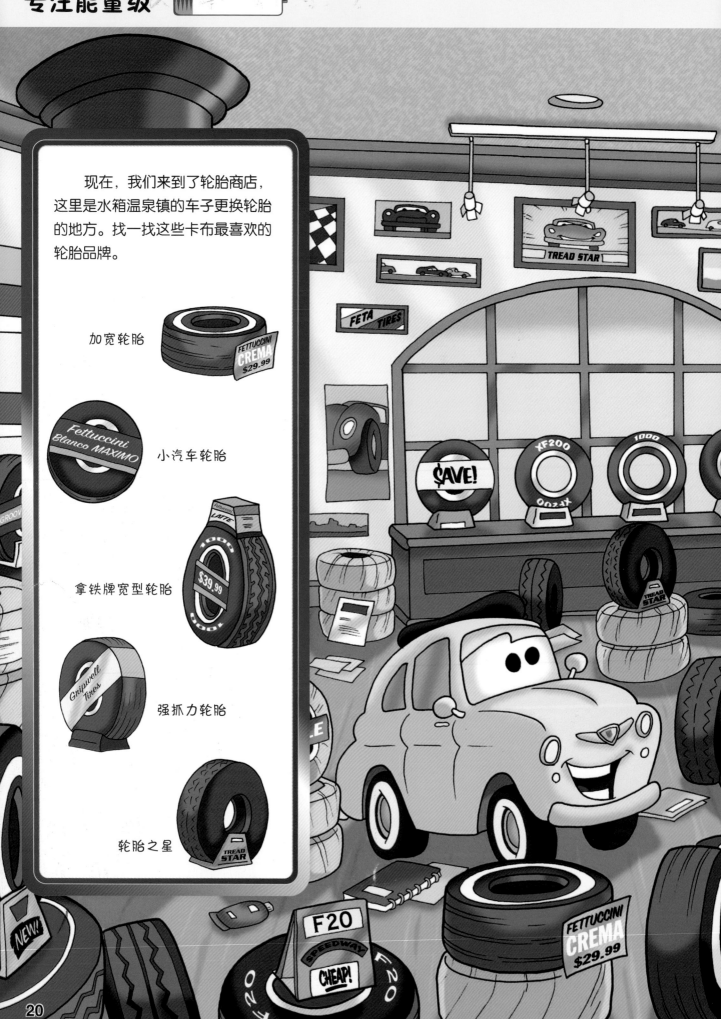

现在，我们来到了轮胎商店，这里是水箱温泉镇的车子更换轮胎的地方。找一找这些卡布最喜欢的轮胎品牌。

加宽轮胎

小汽车轮胎

拿铁牌宽型轮胎

强抓力轮胎

轮胎之星

动物仙子贝卡想要教普莉拉几句花栗鼠的语言，但是这门语言可不好学。幸运的是，她们碰到了几只非常喜欢聊天的花栗鼠。你能找到它们吗？

今天是爱洛十六岁生日。爱洛不仅遇见了自己梦中的白马王子，而且森林里的伙伴们还为她举办了一场生日宴会。找一找他们为爱洛准备的生日礼物。

手杖

橡树果耳环

勋章

手镯

正面朝下的蛋糕

生日头冠

莓子项链

午夜十二点到来的那一刻，灰姑娘不小心丢下一只水晶鞋。但是，舞会上其他的一些女士也丢失了一些饰品！请你帮忙找一找女士们把东西丢在了什么地方。

她的耳环

她的披肩

她的扇子

她的手套

她的项链

她的钱包

闪电麦坤认为自己是镇子中唯一的赛车选手，但其实，镇子里的老爷车韩大夫有着一段非常神秘的经历。他曾经是活塞杯赛车比赛的冠军！在韩大夫的车库中找一找这些可以见证他辉煌的赛车生涯的物品。

蓝色的丝带

微章

刊登在报纸上的文章

旗子

触角球

书籍

29

这间房子是卡尔和艾丽结婚以后生活的家。房子的四周全被拆除了，但是卡尔不愿意离开自己的家。找一找下面这些在卡尔家附近出现的人物。

米歇尔

卡尔

艾迪斯警官

史蒂夫

汤姆

小罗

小叮当决定制作一些新的发明来帮助仙子们。她来到海岸寻找着那些可以利用的遗失物品。找一找下面这些小叮当打算带回仙子谷的物品。

弹簧　　　　　　一颗纽扣

齿轮　　　　　　安全别针

线轴　　　　　　铃铛

螺丝　　　　　　一个顶针

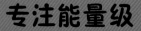

野兽为了让贝儿在自己的城堡里有住在家中的感觉，特意带着她来到了藏书室。贝儿非常喜欢读书，在这里度过了一段美好的时光。找一找，贝儿喜欢的这些书。

《和弦和四分音符入门》

《吐火者》

《花园巧打理》

《小配件、小发明和好创意》

《戏法的历史》

当小飞侠和铁钩船长在高高的海盗旗上打得不可开交时，请你在甲板上找找看这些海盗们的宝物。

银质高脚酒杯

宝箱

多布隆金币

藏宝地图

鹦鹉

眼罩

宝石

37

闪电狗和咪咪在路上跑了好久，现在已经饥肠辘辘了。他们来到了房车公园，正好赶上了开饭时间。在公园中找一找这些正在烹调美味食物的厨师们。

小叮当发现自己原来是一个修补仙子，她帮助大家准备迎接春天的工作。今天，修补仙子们来到了鲜花牧场给花粉仙子们帮忙。快在鲜花牧场找一找这些仙子们最喜欢的鲜花。

哇哦！我叫板牙，这里是我的废品旧货场。我把一些闪闪发亮的新零件丢在了这些生锈的汽车零配件中，你能帮助我找出它们吗？

消音器

方向盘

轮胎

弹簧

保险杠

车轴

今天发生了一件非常神奇的事情！就在灰姑娘认为要错过王子的舞会的时候，仙女教母在花园里面出现了。她可以帮助灰姑娘准时到达舞会，但是必须先要找出下面这些能让魔法成真的重要参与者！

一匹拉马车的马

一支魔法棒

这只老鼠

杰克

这个南瓜

这只老鼠

格斯

这里是卡尔的家。艾丽去世后，他一个人住在这里，陪伴他的只有回忆。在四周找一找这些记录了卡尔和艾丽幸福时光的纪念品。

卡尔和艾丽的
结婚照

艾丽小时候的
照片

蓝色的
气球

圣地"天堂瀑布"

艾丽的
探险日记

"天堂瀑布"的
零钱罐

王后正在准备将自己打扮成一个叫卖小贩去骗白雪公主。在她的地牢实验室中找一找下面这些她在改变妆容的时候需要的物品。

老巫婆的笑声

黑色之液

木乃伊之土

令人毛骨悚然的尖叫声

斗篷

一篮子苹果

爱丽儿喜欢在沉船中探险，并从中收集一些人类世界的宝物。现在看起来鱼儿们好像也喜欢这样做！如果你想要追上这些令人眼花缭乱的小鱼，恐怕要深吸一口气了。不过，你最好快一点儿，鲨鱼马上就要来啦！

皇冠鳕鱼

青色大太阳鱼

红宝石色的鲷鱼

金鱼

银色的旗鱼

欢迎来到水乡温泉镇的古董商店。在这里，你可以买到一些纪念品，在买东西之前，先来找一找这些有趣的车牌吧。

安弟从小到大有很多的玩具，现在他马上就要去上大学了。在他给行李打包的时候，会带上下面这些东西，快来帮他找一找吧！

棒球手套

滑板

音响

手机

笔记本电脑

电吉他

耳机

COLLEGE

小叮当的新发明帮助仙子们完成了迎接春天的准备工作。现在，末央花已经盛开，正是仙子们将春天带进陆地的最佳时间。找一找下面这些为仙子们帮忙的蜜蜂们。

57

探险家查尔斯·蒙兹曾经是卡尔和艾丽儿时的偶像。蒙兹忠实的狗群看守着他的藏身之所。在这个狗狗山洞中找一找下面的这几只特殊的小狗。

二宝

小宝

豆豆

这只大丹麦犬

大宝

这只德国牧羊犬

Spirit of Adv

在贝儿居住的村子里，小酒馆是村民们冬天最喜欢来的地方。在热闹的人群中，有几位是经常光顾小酒馆的客人，你能找到他们吗？

立福

汤姆

迪克

卡特先生

斯坦利

暴发户小姐

胭脂女士

瓦力终于追上了夏娃。但是现在，他们被送到了修理区。在这里，瓦力发现了一些"有缺陷"的机器人。你能找出这些不能正常工作的机器人吗？

打扫机器人

喷绘机器人

按摩机器人

电击除颤机器人

手电机器人

美容机器人

雨伞机器人

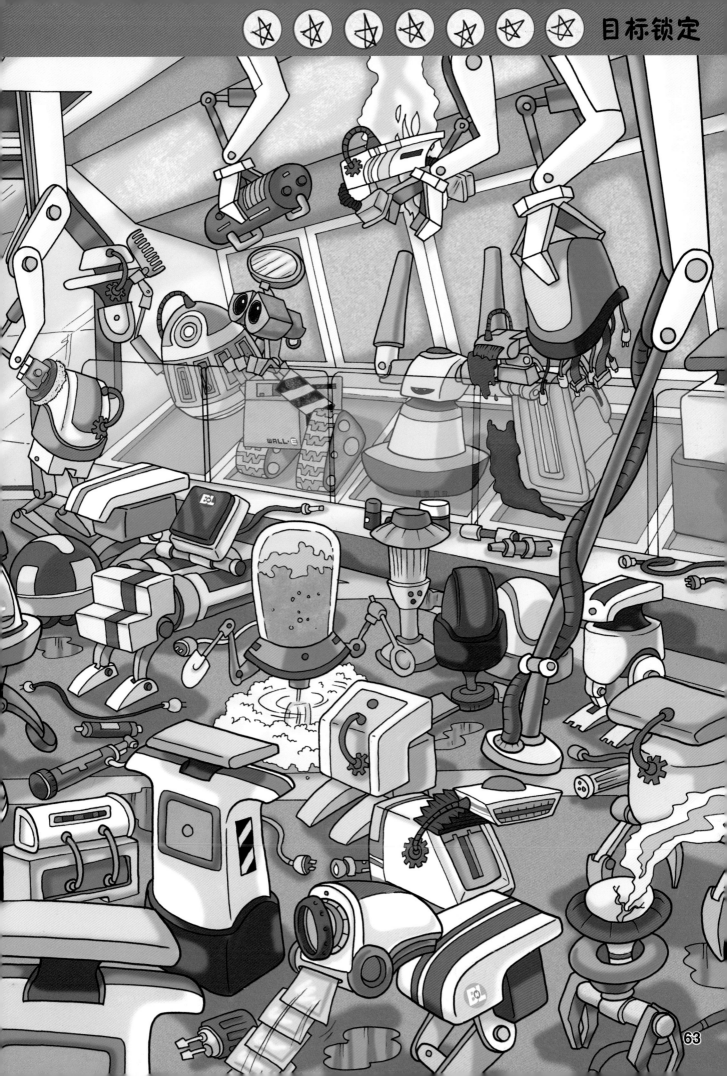

不好，着火了！剧组的房间冒起了火苗，闪电狗刚好赶到了摄影棚。大家都在迅速地从楼里面撤离。请帮闪电狗在人群中找一找这些和佩妮一起工作的人员。

导演

佩妮的经纪人

佩妮的美发师

网络工程师

佩妮的化妆师

教授

佩妮的造型师

令人兴奋的时刻到来了！仙子们施展春的魔力唤醒了大自然。春天来了，温暖将重回大地。赶快找一找下面这些形状各异的雪花吧，它们很快就要消失了。

小米希望能够帮助年轻厨师小宽成为一名大厨，他来到小宽的公寓，迅速地传授厨艺给小宽。这只能干的小老鼠正在指导被蒙上双眼的小宽做料理，请你在小宽的公寓里面找一找这些属于小宽的东西。

苏打罐头

自行车

跑步鞋

足球

连环漫画册

麦片盒子

网球拍

和七个小矮人生活在一起，白雪公主总能收获更多的快乐！找一找下面这些七个小矮人为庆祝白雪公主健康幸福而带来的礼物。

七件礼物

七个蛋糕

七封邀请信

七束鲜花

七个相框

贾方正要给苏丹催眠，这时阿拉丁王子出现了。如果茉莉爱上了阿拉丁，那么贾方永远也不可能成为苏丹。找一找下面这些在游行队伍中的人物。

这位舞绸子的女子

紫色的孔雀

白色的波斯猴子

狮子

金色的骆驼雕塑

举旗人

小熊

小米发现自己来到了时尚之都巴黎，附近就是食神餐厅。小米站在熙熙攘攘的城市上方，望着这个大都市中的一切，激动极了。找一找这些能够让小米兴奋的食品商店。

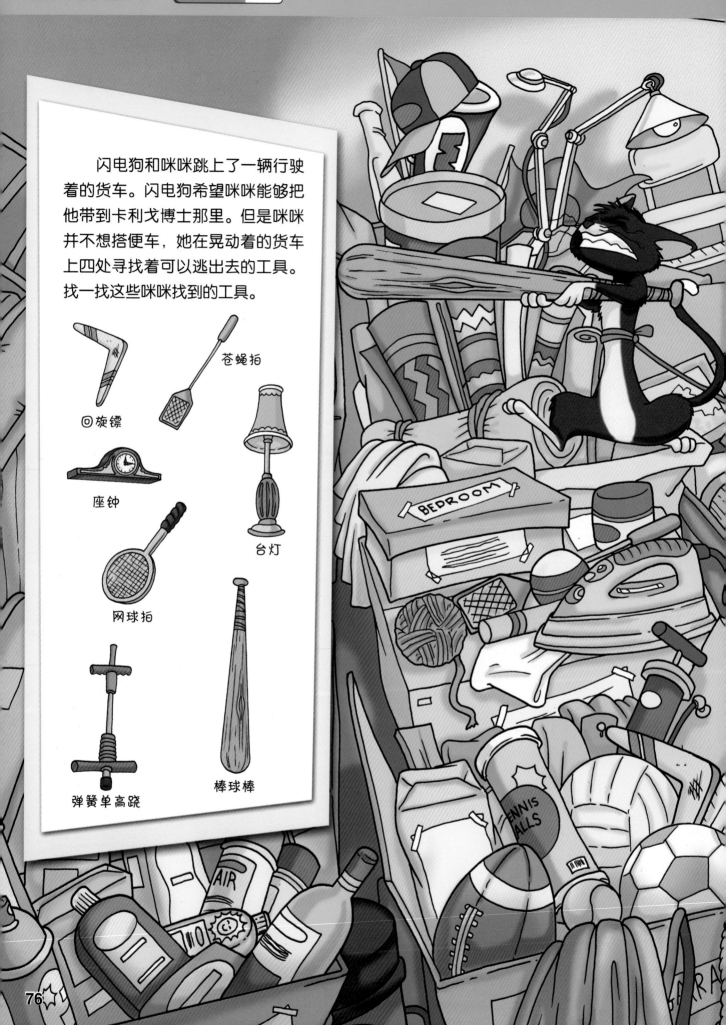

闪电狗和咪咪跳上了一辆行驶着的货车。闪电狗希望咪咪能够把他带到卡利戈博士那里。但是咪咪并不想搭便车，她在晃动着的货车上四处寻找着可以逃出去的工具。找一找这些咪咪找到的工具。

回旋镖

苍蝇拍

座钟

台灯

网球拍

弹簧单高跷

棒球棒

虽然正值寒冬腊月，但贝儿对野兽的态度开始变得好了起来，这一点连小鸟们都发现了，快来找到这些毛茸茸的家伙吧！

红头八哥

蜂鸟二重奏

爱情鸟

秃鹰

幸福蓝鸟

安弟把玩具全部捐给了阳光幼儿园。大熊向玩具们保证，他们再也不必担心被丢弃了。玩具们相信了大熊的话。这间大儿童房简直就是玩具的天堂！找一找这些生活在阳光幼儿园的其他玩具。

玩具卡车

八爪鱼

机器人

大宝宝

大块头

战神

春天重回大地，阳光照耀着每一个角落，盛放的鲜花引来了五颜六色的蝴蝶，这让小叮当兴奋极了！快来帮她找找这些美丽的蝴蝶都在哪里飞舞。

探险家蒙兹带着卡尔和小罗参观自己的收藏。房间里都是他探险中带回来的纪念品。请找一找这些不同寻常的宝贝和纪念品。

权杖
YOU ALONE CAN BRING US HOPE
海报
珍稀鸟类标本
印加人神像
大网
蒙兹飞船的模型

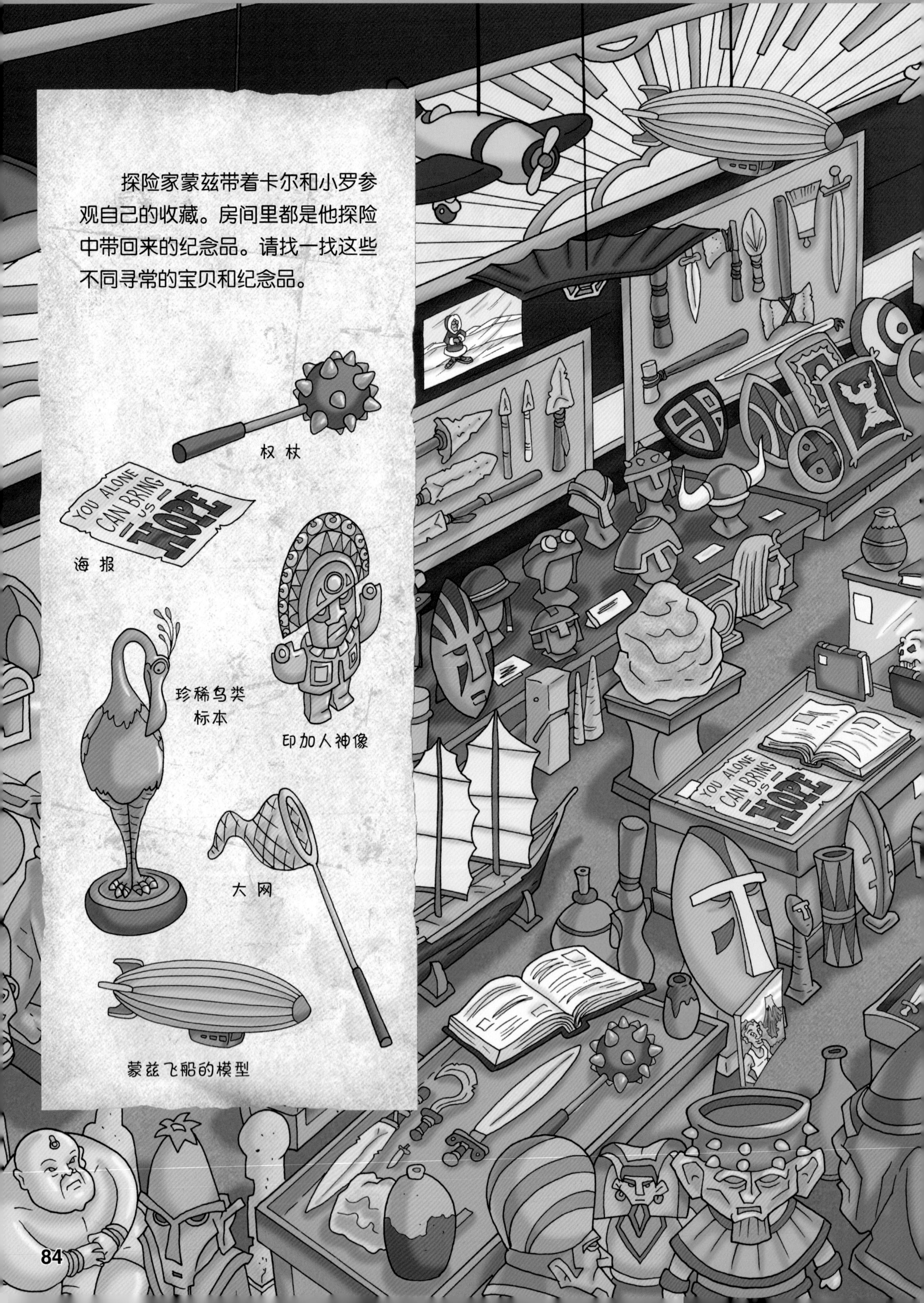

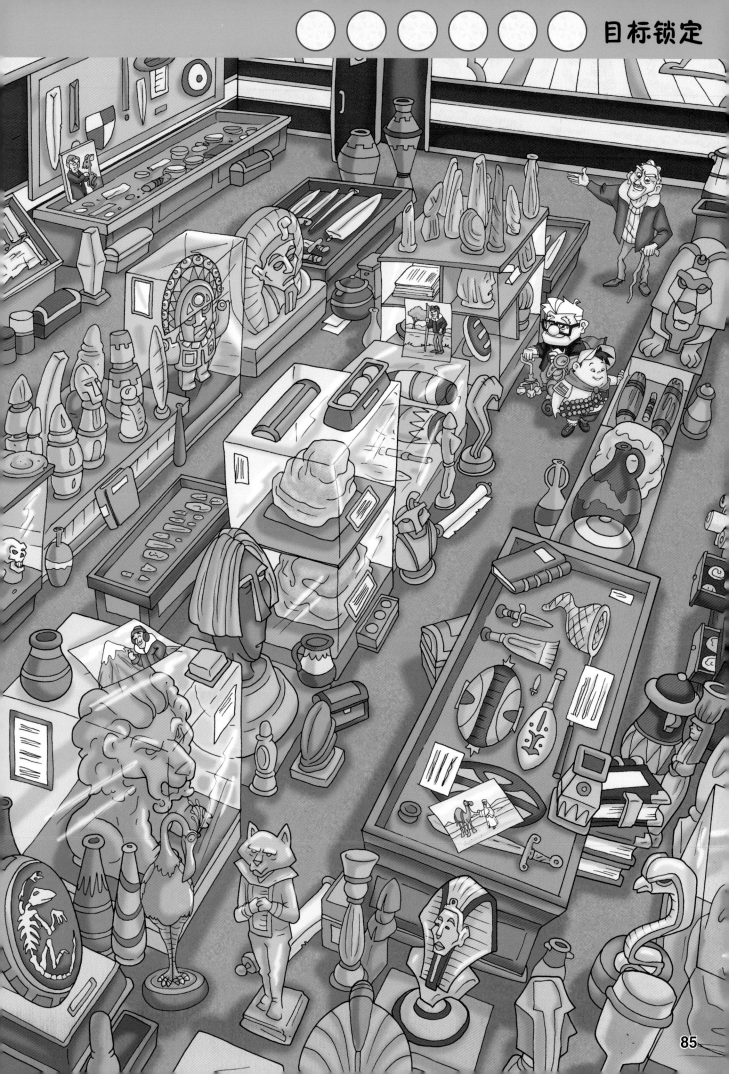

卡利戈博士派人去抓佩妮，幸好佩妮有保镖波特保护自己。波特凭借着无敌的力量、超凡的速度以及超能量的霹雳吼，帮助佩妮成功逃脱。找一找这些与波特作战的坏蛋们。

库伊拉购买了九十九条斑点狗，把它们关在自己破旧的居所。她正在和贾士伯以及哈里斯探讨自己的邪恶计划，请你在这些长相相近的狗中找一找下面的这些小狗。

小雀斑

小补丁

幸运儿

小潘妮

小辣椒

小罗莉

见到朋友们为自己制作的裙子，灰姑娘兴奋极了！除了这件漂亮的粉红色裙子以外，老鼠和小鸟们还为她准备了下面这些东西：

黑色小礼服

羊毛裙

马海毛礼服

A字条纹裙

舞会袍

安弟把自己所有的玩具都送给了小女孩邦妮，因为邦妮是个爱护玩具的好主人。从此，胡迪和朋友们又有了一个温暖的家。快到玩具中去找找那些玩得不亦乐乎的玩具们吧！

豆荚里的豌豆

穿裤子的刺猬先生

小奶油

三角龙

小丑

布娃娃

普莉拉无意中走进了莉莉的美丽花园，拥抱藤蔓和她开起了玩笑，抱着普莉拉不松手。请你找一找这些五颜六色的花朵和植物。

这颗永恒之树的果实

这朵紫丁香

莉莉的雨伞

艾丽丝的树叶手帕

这株金鱼草

这朵野玫瑰

这朵罂粟花

这间幼儿房没有玩具们想象中的有趣。这里的孩子年龄太小，根本不懂得爱惜玩具们。找一找下面这些更适合幼儿玩耍的玩具。

木琴

塑料煎锅

积木

大个儿的塑料钥匙

云霄飞车

玩具除草机

大个弹跳球

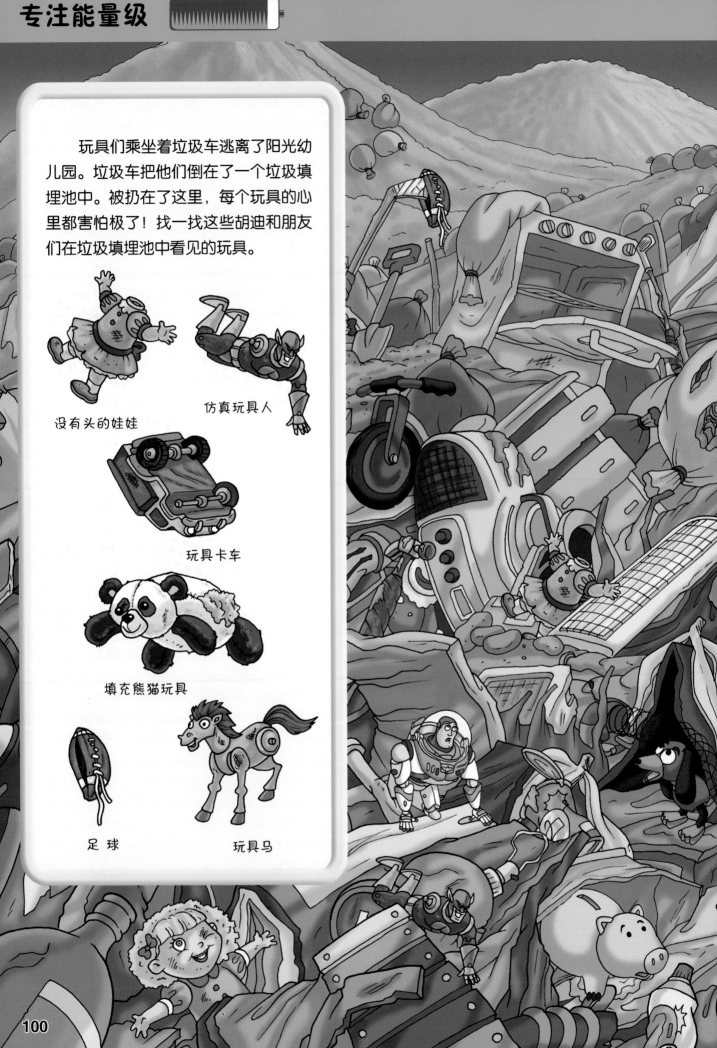

玩具们乘坐着垃圾车逃离了阳光幼儿园。垃圾车把他们倒在了一个垃圾填埋池中。被扔在了这里，每个玩具的心里都害怕极了！找一找这些胡迪和朋友们在垃圾填埋池中看见的玩具。

没有头的娃娃

仿真玩具人

玩具卡车

填充熊猫玩具

足 球

玩具马

女巫乌苏拉正在给爱丽儿施展魔法，把她的声音变成她的一双腿。游到乌苏拉的藏身处，找找看下面这些乌苏拉施展魔法时需要的瓶子。

瓦力的工作就是清理地球。他将垃圾压成方块，然后摞起来。找一找这些废弃品。

报纸

橡胶鸭子

电冰箱

瓶子

灭火器

靴子

购物车

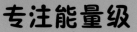

邦妮在阳光幼儿园外的大树下，发现了胡迪，她决定带胡迪回家。她把胡迪介绍给其他的玩具，还请所有的玩具吃饭。找一找邦妮厨房中这些五颜六色的物品。

紫色的茶壶

蓝色的茶杯

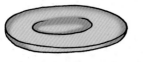

粉色的盘子

黄色的小碗

红色的酒杯

绿色的水罐

仙子们辛勤地劳作着，她们在春天广场上摆放着各种需要带到陆地去的物品。克丽安女王高兴地宣布：一切准备都会在规定的时间内完成。仙子们要抓紧时间给瓢虫涂好颜色，请你帮忙找一找这些淘气的瓢虫。

我们现在位于法国的乡下。太阳闪闪发光，老鼠们饥肠辘辘。小米——老鼠中嗅觉最灵敏的一只，必须负责闻一闻每一块食物，以保证它们是无毒无害的。但是小米对有些老鼠拿来的食物并不感兴趣。找一找这些毫无味道的食物残渣，把它们挑出来。

鱼骨头

葛葡萄

瓜皮

苹果核

土豆皮

鸡腿

糖果

波特来到摄影棚的包裹室寻找佩妮，为了躲开满地堆放的包裹，波特一不小心撞到了一扇窗户上……然后又掉进了一个包裹里面！请你在乱糟糟的包裹堆里找一找这些即将寄出的包裹。

旅客们正在准备乘坐真理号飞船返回地球，但是情况好像有些混乱。你能够在混乱中找出这些旅客吗？

约翰

玛丽

格里

让

拉里

卡丽

兰

莱尼带着普莉拉来到了河边，在这里，普莉拉有许多的问题想要问水仙子。请你在河里和河的四周找一找这些引起普莉拉兴趣的事物。

这只蜻蜓

这个贝壳

这个许愿喷泉

这只树蛙

这只蜂鸟

这只乌龟宝宝

这朵睡莲

川顿国王举办了一场盛大的皇家音乐会，想要借此向大家介绍自己的女儿爱丽儿，并展示她优美的歌声。但是，爱丽儿和小比目鱼却忘记了这件事情——他们现在迟到了！他们能准时出现在舞台上吗？

在舞台上找一找等着和爱丽儿一起演出的六个姊妹。

胡迪帮助朋友们逃离了幼儿园。现在，他们需要穿过操场，并且不能被大熊的同伙发现。在操场找一找他们都藏在了哪里。

这个外星娃娃

抱抱龙

翠丝

弹簧狗

红心

胡迪

火腿

巴斯

闪电狗好不容易才从包裹中逃脱出来，却惊奇地发现自己竟然来到了纽约市中心。他在熙熙攘攘的街上到处跑着，试着寻找佩妮的踪影……不小心卡在了公园的围栏中！找一找这些看见闪电狗跑过的路人。

遛狗的人

商人

小女孩

打电话的女人

拿着滑板的男孩

销售热狗的小贩

维持秩序的工作人员

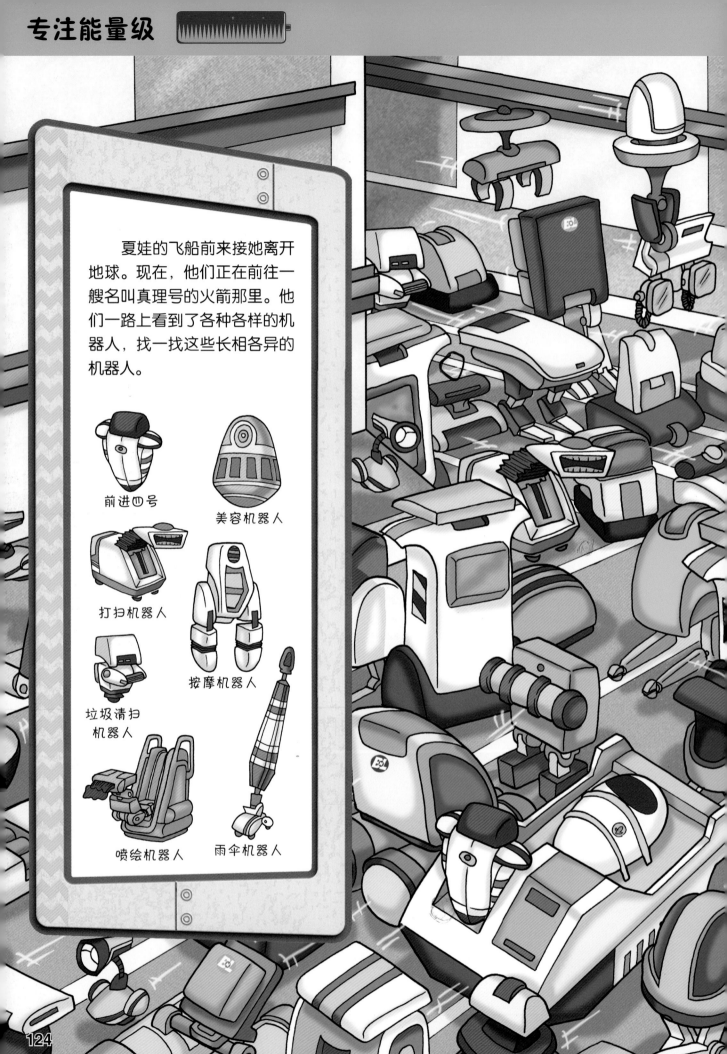

夏娃的飞船前来接她离开地球。现在，他们正在前往一艘名叫真理号的火箭那里。他们一路上看到了各种各样的机器人，找一找这些长相各异的机器人。

前进四号

美容机器人

打扫机器人

按摩机器人

垃圾清扫机器人

喷绘机器人

雨伞机器人

公主爱洛出生了，皇宫里贵宾云集，一派欢乐的景象。可黑女巫却是不请自来，狠毒的女巫施展魔法吓坏了很多客人，请你快把下面这些受到惊吓的客人找出来。